Traité des excitants modernes

Postface de
Bertrand Delcour

Illustrations de
Karine Daisay

ÉDITIONS MILLE ET UNE NUITS

BALZAC
n° 147

Texte intégral

ISBN : 2-84205-119-X

Sommaire

BALZAC

Traité des excitants modernes

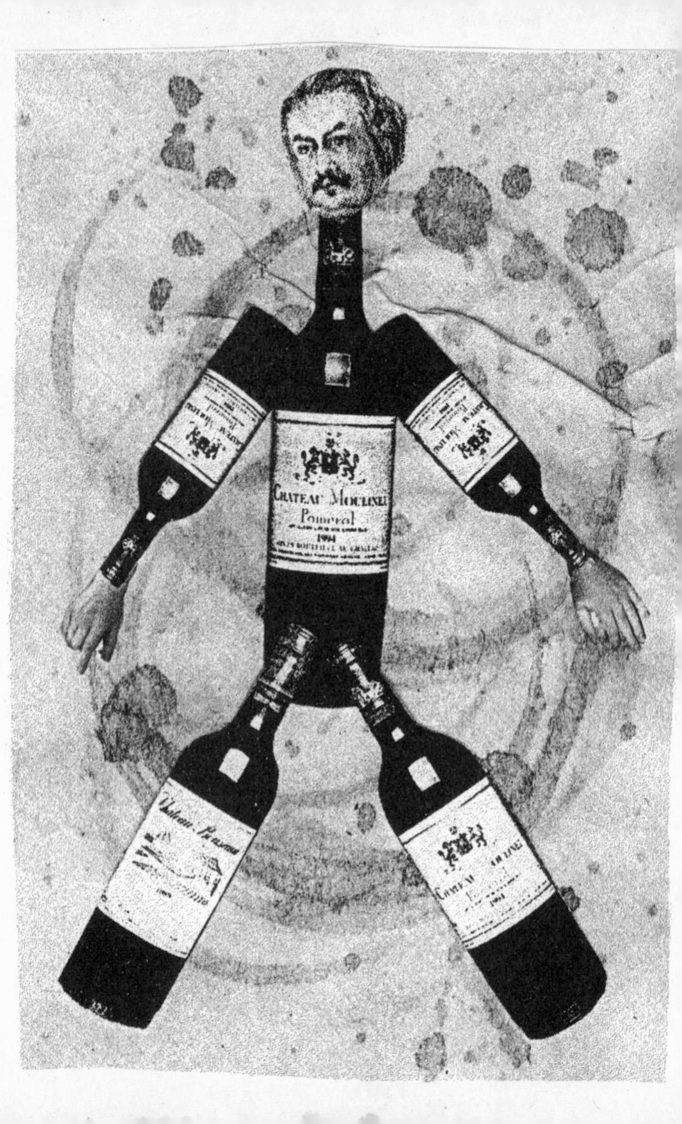
Pomerol

Traité des excitants modernes

I

LA QUESTION POSÉE

L'absorption de cinq substances, découvertes depuis environ deux siècles, et introduites dans l'économie humaine, a pris depuis quelques années des développements si excessifs, que les sociétés modernes peuvent s'en trouver modifiées d'une manière inappréciable.

Ces cinq substances sont :

1° L'eau-de-vie ou alcool, base de toutes les liqueurs, dont l'apparition date des dernières années du règne de Louis XIV, et qui furent inventées pour réchauffer les glaces de sa vieillesse.

2° Le sucre. Cette substance n'a envahi l'alimentation populaire que récemment, alors que l'industrie française a su la fabriquer en grandes quantités et la remettre à son ancien prix, lequel diminuera certes encore, malgré le fisc, qui la guette pour l'imposer.

3° Le thé, connu depuis une cinquantaine d'années.

4° Le café. Quoique anciennement découvert par les Arabes, l'Europe ne fit un grand usage de cet excitant que vers le milieu du XVIIIe siècle.

5° Le tabac, dont l'usage par la combustion n'est devenu général que depuis la paix en France.

Examinons d'abord la question, en nous plaçant au point de vue le plus élevé.

Une portion quelconque de la force humaine est appliquée à la satisfaction d'un besoin ; il en résulte cette sensation, variable selon les tempéraments et selon les climats, que nous appelons *plaisir*. Nos organes sont les ministres de nos plaisirs. Presque tous ont une destination double : ils appréhendent des substances, et nous les incorporent, puis les restituent, en tout ou en partie, sous une forme quelconque, au réservoir commun, la terre. Ce peu de mots est la chimie de la vie humaine.

Les savants ne mordront point sur cette formule. Vous ne trouverez pas un sens, et par sens il faut entendre tout son appareil, qui n'obéisse à cette charte, en quelque région qu'il fasse ses évolutions. Tout excès se base sur un plaisir que l'homme veut répéter au-delà des lois ordinaires promulguées par la nature. Moins la force humaine est occupée, plus elle tend à l'excès ; la pensée l'y porte irrésistiblement.

I

Pour l'homme social, vivre, c'est se dépenser plus ou moins vite.

Il suit de là que, plus les sociétés sont civilisées et tranquilles, plus elles s'engagent dans la voie des excès. L'état de paix est un état funeste à certains individus. Peut-être est-ce là ce qui a fait dire à Napoléon : « *La guerre est un état naturel.* »

Pour absorber, résorber, décomposer, s'assimiler, rendre ou recréer quelque substance que ce soit, opérations qui constituent le mécanisme de tout plaisir sans exception, l'homme envoie sa force ou une partie de sa force dans celui ou ceux des organes qui sont les ministres du plaisir affectionné.

La Nature veut que tous les organes participent à la vie dans des proportions égales ; tandis que la Société développe chez les hommes une sorte de soif pour tel ou tel plaisir dont la satisfaction porte dans tel ou tel organe plus de force qu'il ne lui en est dû, et souvent toute la force, les affluents qui l'entretiennent désertent les organes sevrés en quantités équivalentes à celles que prennent les organes gourmands. De là les maladies, et, en définitif, l'abréviation de la vie.

Cette théorie est effrayante de certitude, comme toutes celles qui sont établies sur les faits, au lieu d'être promulguées *a priori*. Appelez la vie au cerveau par des travaux intellectuels constants, la force s'y déploie, elle en élargit les délicates membranes, elle en enrichit la pulpe ; mais elle aura si bien déserté l'entresol, que l'homme de génie y rencontrera la maladie décemment nommée *frigidité* par la médecine. Au rebours, passez-vous votre vie au pied des divans sur lesquels il y a des femmes infiniment charmantes, êtes-vous intrépidement amoureux, vous devenez un vrai cordelier sans froc. L'intelligence est incapable de fonctionner dans les hautes sphères de la conception. La vraie force est entre ces deux excès. Quand on mène de front la vie intellectuelle et la vie amoureuse, l'homme de génie meurt comme sont morts Raphaël et lord Byron. Chaste, on meurt par excès de travail, aussi bien que par la débauche ; mais ce genre de mort est extrêmement rare. L'excès du tabac, l'excès du café, l'excès de l'opium et de l'eau-de-vie, produisent des désordres graves, et conduisent à une mort précoce. L'organe, sans cesse irrité, sans cesse nourri, s'hypertrophie : il prend un volume anormal, souffre, et vicie la machine, qui succombe.

Chacun est maître de soi, suivant la loi moderne ; mais, si les éligibles et les prolétaires qui lisent ces pages croient ne faire du mal qu'à eux en fumant comme des remorqueurs ou buvant comme des Alexandre, ils se trompent étrangement ; ils adultèrent la race, abâtardissent la génération, d'où la ruine des pays. Une génération n'a pas le droit d'en amoindrir une autre.

II
L'alimentation est la génération.

Faites graver cet axiome en lettres d'or dans vos salles à manger. Il est étrange que Brillat-Savarin, après avoir demandé à la science d'augmenter la nomenclature des sens, du sens *génésique*, ait oublié de remarquer la liaison qui existe entre les produits de l'homme et les substances qui peuvent changer les conditions de sa vitalité. Avec quel plaisir n'aurais-je pas lu chez lui cet autre axiome :

III
La marée donne des filles, la boucherie fait les garçons.

Les destinées d'un peuple dépendent et de sa nourriture et de son régime. L'eau-de-vie a tué les races indiennes. J'appelle la Russie une autocratie soutenue par l'alcool. Qui sait si l'abus du chocolat n'est pas entré pour quelque chose dans l'avilissement de la nation espagnole, qui, au moment de la découverte du chocolat, allait recommencer l'Empire romain ? Le tabac a déjà fait justice des Turcs, des Hollandais, et menace l'Allemagne. Aucun de nos hommes d'État, qui sont généralement plus occupés d'eux-mêmes que de la chose publique, à moins qu'on ne regarde leurs vanités, leurs maîtresses et leurs capitaux comme des choses publiques, ne sait où va la France par ses excès de tabac, par l'emploi du sucre, de la pomme de terre substituée au blé, de l'eau-de-vie, etc.

Voyez quelle différence dans la coloration, dans le galbe des grands hommes actuels et de ceux des siècles passés, lesquels résument toujours les générations et les mœurs de leur époque ! Combien voyons-nous avorter aujourd'hui de talents en tout genre, lassés après une première œuvre maladive ? Nos pères sont les auteurs des volontés mesquines du temps actuel.

Voici le résultat d'une expérience faite à Londres, dont la vérité m'a été garantie par deux personnes dignes de foi, un savant et un homme politique, et qui domine les questions que nous allons traiter.

Le gouvernement anglais a permis de disposer de la vie de trois condamnés à mort, auxquels on a donné l'option ou d'être pendus suivant la formule usitée dans ce pays, ou de vivre exclusivement l'un de thé, l'autre de café, l'autre de chocolat, sans y joindre aucun autre aliment de quelque nature que ce fût, ni de boire d'autres liquides. Les drôles ont accepté. Peut-être tout condamné en eût-il fait autant. Comme chaque aliment offrait plus ou moins de chances, ils ont tiré le choix au sort.

L'homme qui a vécu de chocolat est mort après huit mois.

L'homme qui a vécu de café a duré deux ans.

L'homme qui a vécu de thé n'a succombé qu'après trois ans.

Je soupçonne la Compagnie des Indes d'avoir sollicité l'expérience dans les intérêts de son commerce.

L'homme au chocolat est mort dans un effroyable état de pourriture, dévoré par les vers. Ses membres sont tombés un à un, comme ceux de la monarchie espagnole.

L'homme au café est mort brûlé, comme si le feu de Gomorrhe l'eût calciné. On aurait pu en faire de la chaux. On l'a proposé, mais l'expérience a paru contraire à l'immortalité de l'âme.

L'homme au thé est devenu maigre et quasi diaphane, il est mort de consomption, à l'état de lanterne : on voyait clair à travers son corps ; un philanthrope a pu lire le *Times*, une lumière ayant été placée derrière le corps. La décence anglaise n'a pas permis un essai plus original.

Je ne puis m'empêcher de faire observer combien il est philanthropique d'utiliser le condamné à mort au lieu de le guillotiner brutalement. On emploie déjà l'adipocire des amphithéâtres à faire de la bougie, nous ne devons pas nous arrêter en si beau chemin. Que les condamnés soient donc livrés aux savants au lieu d'être livrés au bourreau.

Une autre expérience a été faite en France relativement au sucre.

M. Magendie a nourri des chiens exclusivement de sucre ; les affreux résultats de son expérience ont été publiés, ainsi que le genre de mort de ces intéressants amis de l'homme, dont ils partagent les vices (les chiens sont joueurs) ; mais ces résultats ne prouvent encore rien par rapport à nous.

II

DE L'EAU-DE-VIE

Le raisin a révélé le premier les lois de la fermentation, nouvelle action qui s'opère entre ses éléments par l'influence atmosphérique, et d'où provient une combinaison contenant l'alcool obtenu par la distillation, et que, depuis, la chimie a trouvé dans beaucoup de produits botaniques. Le vin, le produit immédiat, est le plus ancien des excitants : à tout seigneur, tout honneur, il passera le premier. D'ailleurs, son esprit est celui de tous aujourd'hui qui tue le plus de monde. On s'est effrayé du choléra. L'eau-de-vie est un bien autre fléau !

Quel est le flâneur qui n'a pas observé aux environs de la grande halle, à Paris, cette tapisserie humaine que forment, entre deux et cinq heures du matin, les habitués mâles et femelles des distillateurs, dont les ignobles boutiques sont bien loin des palais construits à Londres pour les consommateurs qui viennent s'y consommer, mais où les résultats sont les mêmes ? Tapisserie est le mot. Les haillons et les visages sont si bien en harmonie, que vous ne savez où finit le haillon, où commence la chair, où est le bonnet, où se dresse le nez ; la figure est souvent plus sale que le lambeau de linge que vous apercevez en analysant ces monstrueux personnages rabougris, creusés, étiolés, blanchis, bleuis, tordus par l'eau-de-vie. Nous devons à ces hommes ce frai ignoble qui dépérit ou qui produit l'effroyable gamin de Paris. De ces comptoirs procèdent ces êtres chétifs qui composent la population ouvrière. La plupart des filles de Paris sont décimées par l'abus des liqueurs fortes.

Comme observateur, il était indigne de moi d'ignorer les effets de l'ivresse. Je devais étudier les jouissances qui séduisent le peuple, et qui ont séduit, disons-le, Byron après Sheridan, *e tutti quanti*. La chose était difficile. En qualité de buveur d'eau, préparé peut-être à cet assaut par ma longue habitude du café, le vin n'a pas la moindre prise sur moi, quelque quantité que ma capacité gastrique me permette d'absorber. Je suis un coûteux convive. Ce fait, connu d'un de mes amis, lui inspira le désir de vaincre cette virginité. Je n'avais jamais fumé. Sa future victoire fut assise sur ces autres prémices à offrir *diis ignotis*. Donc, par un jour d'Italiens, en l'an 1822, mon ami me défia, dans l'espoir de me faire oublier la musique de Rossini, la Cinti, Levasseur, Bordogni, la Pasta, sur un divan qu'il lorgna dès le dessert, et où ce fut lui qui se coucha. Dix-sept bouteilles vides assistaient à sa défaite. Comme il m'avait obligé de fumer deux cigares, le tabac eut une action dont je m'aperçus en descendant l'escalier. Je trouvai les marches composées d'une matière molle ; mais je montai glorieusement en voiture, assez raisonnablement droit, grave, et peu disposé à parler. Là, je crus être dans une fournaise, je baissai une glace, l'air acheva de me *taper*, expression technique des ivrognes. Je trouvais un vague étonnant dans la nature. Les marches de l'escalier des Bouffons me parurent encore plus molles que les autres ; mais je pris sans aucune mésaventure ma place au balcon. Je n'aurais pas alors osé affirmer que je fusse à Paris, au milieu d'une éblouissante société dont je ne distinguais encore ni les toilettes ni les figures. Mon âme était grise. Ce que j'entendais de l'ouverture de *La Gazza* équivalait aux sons fantastiques qui, des cieux, tombent dans l'oreille d'une femme en extase. Les phrases musicales me parvenaient à travers des nuages brillants, dépouillées de tout ce que les hommes mettent d'imparfait dans leurs œuvres, pleines de ce que le sentiment de l'artiste y imprime de divin. L'orchestre m'apparaissait comme un vaste instrument où il se faisait un travail quelconque dont je ne pouvais saisir ni le mouvement ni le mécanisme, n'y voyant que fort confusément les manches de basses, les archets remuants, les courbes d'or des trombones, les clarinettes, les lumières, mais point d'hommes. Seulement une ou deux têtes poudrées, immobiles, et deux figures enflées, toutes grimaçantes, qui m'inquiétaient. Je sommeillais à demi.

« Ce monsieur sent le vin », dit à voix basse une dame dont le chapeau effleurait souvent ma joue, et que, à mon insu, ma joue allait effleurer.

J'avoue que je fus piqué.

« Non, madame, répondis-je, je sens la musique. »

Je sortis, me tenant remarquablement droit, mais calme et froid comme un homme qui, n'étant pas apprécié, se retire en donnant à ses critiques la crainte d'avoir molesté quelque génie supérieur. Pour prouver à cette dame que j'étais incapable de boire outre mesure, et que ma senteur devait être un accident tout à fait étranger à mes mœurs, je préméditai de me rendre dans la loge de Mme la duchesse de... (gardons-lui le secret), dont j'aperçus la belle tête si singulièrement encadrée *de plumes et de dentelles*, que je fus irrésistiblement attiré vers elle par le désir de vérifier si cette inconcevable coiffure était vraie, ou due à quelque fantaisie de l'optique particulière dont j'étais doué pour quelques heures.

Quand je serai là, pensais-je, entre cette dame si élégante, et son amie si minaudière, si bégueule, personne ne me soupçonnera d'être entre deux vins, et l'on se dira que je dois être quelque homme considérable entre deux femmes.

Mais j'étais encore errant dans les interminables corridors du Théâtre-Italien, sans avoir pu trouver la porte damnée de cette loge, lorsque la foule, sortant après le spectacle, me colla contre un mur. Cette soirée fut certes une des plus poétiques de ma vie. À aucune époque je n'ai vu autant de plumes, autant de dentelles, autant de jolies femmes, autant de petites vitres ovales par lesquelles les curieux et les amants examinent le contenu d'une loge. Jamais je n'ai déployé autant d'énergie, ni montré autant de caractère, je pourrais même dire d'entêtement, n'était le respect que l'on se doit à soi-même. La ténacité du roi Guillaume de Hollande n'est rien dans la question belge, en comparaison de la persévérance que j'ai eue à me hausser sur la pointe des pieds et à conserver un agréable sourire. Cependant, j'eus des accès de colère, je pleurai parfois. Cette faiblesse me place au-dessous du roi de Hollande. Puis j'étais tourmenté par des idées affreuses en songeant à tout ce que cette dame avait le droit de penser de moi, si je ne reparaissais pas entre la duchesse et son amie; mais je me consolais en méprisant le genre humain tout entier. J'avais tort néanmoins. Il y avait, ce soir-là, bonne compagnie aux Bouffons. Chacun y fut plein d'attentions pour moi et se dérangea pour me laisser passer. Enfin, une fort jolie dame me donna le bras pour sortir. Je dus cette politesse à la haute considération que me témoigna Rossini, qui me dit quelques mots flatteurs dont je ne me souviens pas, mais qui durent être éminemment spirituels : sa conversation vaut sa musique. Cette femme était, je crois, une duchesse, ou peut-être une ouvreuse. Ma mémoire est si confuse, que je crois plus à l'ouvreuse qu'à la duchesse. Cependant, elle avait des plumes et des dentelles ! Toujours des plumes et toujours des dentelles ! Bref je me trouvai dans ma voiture, par la raison superlative que mon cocher avait avec moi une similitude qui me navra, et qu'il était endormi seul sur la place des Italiens. Il pleuvait à torrents, je ne me souviens pas d'avoir reçu une goutte de pluie. Pour la première fois de ma vie, je goûtai l'un des plaisirs les plus vifs, les plus fantasques du monde, extase indescriptible, les délices qu'on éprouve à traverser Paris à onze heures et demie du soir, emporté rapidement au milieu des réverbères, en voyant passer des myriades de magasins, de lumières, d'enseignes, de figures, de groupes, de femmes sous des parapluies, d'angles de rues fantastiquement illuminées, de places noires, en observant, à travers les rayures de l'averse, mille choses que l'on a une fausse idée d'avoir aperçues quelque part, en plein jour. Et toujours des plumes ! et toujours des dentelles ! même dans les boutiques de pâtisserie.

J'ai dès lors très bien conçu le plaisir de l'ivresse. L'ivresse jette un voile sur la vie réelle, elle éteint la connaissance des peines et des chagrins, elle permet de déposer le fardeau de la pensée. L'on comprend alors comment de grands génies ont pu s'en servir, et pourquoi le peuple s'y adonne. Au lieu d'activer le cerveau, le vin l'hébète. Loin d'exciter les réactions de l'estomac vers les forces cérébrales, le vin, après la valeur d'une bouteille absorbée, a obscurci les papilles, les conduits sont saturés, le goût ne fonctionne plus, et il est impossible au buveur de distinguer la finesse des liquides servis. Les alcools sont absorbés, et passent en partie dans le sang. Donc, inscrivez cet axiome dans votre mémoire :

IV

L'ivresse est un empoisonnement momentané.

Aussi, par le retour constant de ces empoisonnements, l'alcoolâtre finit-il par changer la nature de son sang ; il en altère le mouvement en lui enlevant ses principes ou en les dénaturant, et il se fait chez lui un si grand trouble, que la plupart des ivrognes perdent les facultés génératives ou les vicient de telle sorte qu'ils donnent naissance à des hydrocéphales. N'oubliez pas de constater chez le buveur l'action d'une soif dévorante le lendemain, et souvent à la fin de son orgie. Cette soif, évidemment produite par l'emploi des sucs gastriques et des éléments de la salivation occupés à leur centre, pourra servir à démontrer la justesse de nos conclusions.

III

DU CAFÉ

Sur cette matière, Brillat-Savarin est loin d'être complet. Je puis ajouter quelque chose à ce qu'il dit sur le café, dont je fais usage de manière à pouvoir en observer les effets sur une grande échelle. Le café est un torréfiant intérieur. Beaucoup de gens accordent au café le pouvoir de donner de l'esprit ; mais tout le monde a pu vérifier que les ennuyeux ennuient bien davantage après en avoir pris. Enfin, quoique les épiciers soient ouverts à Paris jusqu'à minuit, certains auteurs n'en deviennent pas plus spirituels.

Comme l'a fort bien observé Brillat-Savarin, le café met en mouvement le sang, en fait jaillir les esprits moteurs ; excitation qui précipite la digestion, chasse le sommeil, et permet d'entretenir pendant un peu plus longtemps l'exercice des facultés cérébrales.

Je me permets de modifier cet article de Brillat-Savarin par des expériences personnelles et les observations de quelques grands esprits.

Le café agit sur le diaphragme et les plexus de l'estomac, d'où il gagne le cerveau par des irradiations inappréciables et qui échappent à toute analyse ; néanmoins, on peut présumer que le fluide nerveux est le conducteur de l'électricité que dégage cette substance qu'elle trouve ou met en action chez nous. Son pouvoir n'est ni constant ni absolu. Rossini a éprouvé sur lui-même les effets que j'avais déjà observés sur moi.

« Le café, m'a-t-il dit, est une affaire de quinze ou vingt jours ; le temps fort heureusement de faire un opéra. »

Le fait est vrai. Mais le temps pendant lequel on jouit des bienfaits du café peut s'étendre. Cette science est trop nécessaire à beaucoup de personnes pour ne pas décrire la manière d'en obtenir les fruits précieux.

Vous tous, illustres chandelles humaines, qui vous consumez par la tête, approchez et écoutez l'Évangile de la veille et du travail intellectuel !

1° Le café concassé à la turque a plus de saveur que le café moulu dans un moulin.

Dans beaucoup de choses mécaniques relatives à l'exploitation des jouissances, les Orientaux l'emportent de beaucoup sur les Européens : leur génie, observateur à la manière des crapauds, qui demeurent des années entières dans leurs trous en tenant leurs yeux d'or ouverts sur la nature comme deux soleils, leur a révélé par le fait ce que la science démontre par l'analyse. Le principe délétère du café est le *tannin*, substance maligne que les chimistes n'ont pas encore assez étudiée. Quand les membranes de l'estomac sont *tannées*, ou quand l'action du tannin particulier au café les a hébétées par un usage trop fréquent, elles se refusent aux contractions violentes que les travailleurs recherchent. De là des désordres graves si l'amateur continue. Il y a un homme à Londres que l'usage immodéré du café a tordu comme ces vieux goutteux noués. J'ai connu un graveur de Paris qui a été cinq ans à se guérir de l'état où l'avait mis son amour pour le café. Enfin, dernièrement, un artiste, Chenavard, est mort brûlé. Il entrait dans un café comme un ouvrier entre au cabaret, à tout moment. Les amateurs procèdent comme dans toutes les passions ; ils vont d'un degré à l'autre, et, comme chez Nicolet, de plus fort en plus fort jusqu'à l'abus. En concassant le café, vous le pulvérisez en molécules de formes bizarres qui retiennent le tannin et dégagent seulement l'arôme. Voilà pourquoi les Italiens, les Vénitiens, les Grecs et les Turcs peuvent boire incessamment sans danger du café que les Français traitent de *cafiot*, mot de mépris. Voltaire prenait de ce café-là.

Retenez donc ceci. Le café a deux éléments : l'un, la matière extractive, que l'eau chaude ou froide dissout, et dissout vite, lequel est le conducteur de l'arôme ; l'autre, qui est le tannin, résiste davantage à l'eau, et n'abandonne le tissu aréolaire qu'avec lenteur et peine. D'où cet axiome :

V

Laisser l'eau bouillante, surtout longtemps, en contact avec le café, est une hérésie ; le préparer avec de l'eau de marc, c'est soumettre son estomac et ses organes au tannage.

2° En supposant le café traité par l'immortelle cafetière à la de Belloy et non pas du Belloy (celui aux méditations de qui nous devons cette méthode était le cousin du cardinal, et, comme lui, de la famille très ancienne et très illustre des marquis de Belloy), le café a plus de vertu par l'infusion à froid que par l'infusion d'eau bouillante ; ce qui est une seconde manière de graduer ses effets.

En moulant le café, vous dégagez à la fois l'arôme et le tannin ; vous flattez le goût et vous stimulez les plexus, qui réagissent sur les mille capsules du cerveau.

Ainsi, voici deux degrés : le café concassé à la turque, le café moulu.

3° De la quantité de café mis dans le récipient supérieur, du plus ou moins de foulage et du plus ou moins d'eau, dépend la force du café ; ce qui constitue la troisième manière de traiter le café.

Ainsi, pendant un temps plus ou moins long, une ou deux semaines au plus, vous pouvez obtenir l'excitation avec une, puis deux tasses de café concassé d'une abondance graduée, infusé à l'eau bouillante.

Pendant une autre semaine, par l'infusion à froid, par la mouture du café, par le foulage de la poudre et par la diminution de l'eau, vous obtenez encore la même dose de force cérébrale.

Quand vous avez atteint le plus grand foulage et le moins d'eau possible, vous doublez la dose en prenant deux tasses ; puis quelques tempéraments vigoureux arrivent à trois tasses. On peut encore aller ainsi quelques jours de plus.

Enfin, j'ai découvert une horrible et cruelle méthode, que je ne conseille qu'aux hommes d'une excessive vigueur, à cheveux noirs et durs, à peau mélangée d'ocre et de vermillon, à mains carrées, à jambes en forme de balustres comme ceux de la place Louis-XV. Il s'agit de l'emploi du café moulu, foulé, froid et anhydre (mot chimique qui signifie peu d'eau ou sans eau) pris à jeun. Ce café tombe dans votre estomac, qui, vous le savez par Brillat-Savarin, est un sac velouté à l'intérieur et tapissé de suçoirs et de papilles ; il n'y trouve rien, il s'attaque à cette délicate et voluptueuse doublure, il devient une sorte d'aliment qui veut ses sucs, il les tord, il les sollicite comme une pythonisse appelle son dieu, il malmène ces jolies parois comme un charretier qui brutalise de jeunes chevaux ; les plexus s'enflamment, ils flambent et font aller leurs étincelles jusqu'au cerveau. Dès lors, tout s'agite : les idées s'ébranlent comme les bataillons de la grande armée sur le terrain d'une bataille, et la bataille a lieu. Les souvenirs arrivent au pas de charge, enseignes déployées ; la cavalerie légère des comparaisons se développe par un magnifique galop ; l'artillerie de la logique accourt avec son train et ses gargousses ; les traits d'esprit arrivent en tirailleurs ; les figures se dressent ; le papier se couvre d'encre, car la veille commence et finit par des torrents d'eau noire, comme la bataille par sa poudre noire. J'ai conseillé ce breuvage ainsi pris à un de mes amis, qui voulait absolument faire un travail promis pour le lendemain : il s'est cru empoisonné, il s'est recouché, il a gardé le lit comme une mariée. Il était grand, blond, cheveux rares ; un estomac de papier mâché, mince. Il y avait de ma part manque d'observation.

Quand vous êtes arrivé au café pris à jeun avec les émulsions superlatives, et que vous l'avez épuisé, si vous vous avisiez de continuer, vous tomberiez dans d'horribles sueurs, des faiblesses nerveuses, des somnolences. Je ne sais pas ce qui arriverait : la sage nature m'a conseillé de m'abstenir, attendu que je ne suis pas condamné à une mort immédiate. On doit se mettre alors aux préparations lactées, au régime du poulet et des viandes blanches ; enfin détendre la harpe, et rentrer dans la vie flâneuse, voyageuse, niaise et cryptogamique des bourgeois retirés.

L'état où vous met le café pris à jeun dans les conditions magistrales, produit une sorte de vivacité nerveuse qui ressemble à celle de la colère : le verbe s'élève, les gestes expriment une impatience maladive ; on veut que tout aille comme trottent les idées ; on est braque, rageur pour des riens ; on arrive à ce variable caractère du poète tant accusé par les épiciers ; on prête à autrui la lucidité dont on jouit. Un homme d'esprit doit alors se bien garder de se montrer ou de se laisser approcher. J'ai découvert ce singulier état par certains hasards qui me faisaient perdre sans travail l'exaltation que je me procurais. Des amis, chez qui je me trouvais à la campagne, me voyaient hargneux et disputailleur, de mauvaise foi dans la discussion. Le lendemain, je reconnaissais mes torts, et nous en cherchions la cause. Mes amis étaient des savants du premier ordre, nous l'eûmes bientôt trouvée : le café voulait une proie.

Non seulement ces observations sont vraies et ne subissent d'autres changements que ceux qui résultent des différentes idiosyncrasies, mais elles concordent avec les expériences de plusieurs praticiens, au nombre desquels est l'illustre Rossini, l'un des hommes qui ont le plus étudié les lois du goût, un héros digne de Brillat-Savarin.

OBSERVATION. – Chez quelques natures faibles, le café produit au cerveau une congestion sans danger ; au lieu de se sentir activées, ces personnes éprouvent de la somnolence, et disent que le café les fait dormir. Ces gens peuvent avoir des jambes de cerf, des estomacs d'autruche, mais ils sont mal *outillés* pour les travaux de la pensée. Deux jeunes voyageurs, MM. Combes et Tamisier, ont trouvé les Abyssiniens généralement impuissants : les deux voyageurs n'hésitent pas à regarder l'abus du café, que les Abyssiniens poussent au dernier degré, comme la cause de cette disgrâce. Si ce livre passe en Angleterre, le gouvernement anglais est prié de résoudre cette grave question sur le premier condamné qu'il aura sous la main, pourvu que ce ne soit ni une femme ni un vieillard.

Le thé contient également du tannin, mais le sien a des vertus narcotiques, il ne s'adresse pas au cerveau ; il agit sur les plexus seulement et sur les intestins qui absorbent plus spécialement et plus rapidement les substances narcotiques. Jusque aujourd'hui la manière de le préparer est absolue. Je ne sais pas jusqu'à quel point la quantité d'eau que les buveurs de thé précipitent dans leur estomac doit être comptée dans l'effet obtenu. Si l'expérience anglaise est vraie, il donnerait la morale anglaise, les miss aux teints blafards, les hypocrisies et les médisances anglaises ; ce qui est certain, c'est qu'il ne gâte pas moins la femme au moral qu'au physique. Là où les femmes boivent du thé, l'amour est vicié dans son principe ; elles sont pâles, maladives, parleuses, ennuyeuses, prêcheuses. Pour quelques organisations fortes, le thé fort et pris à grandes doses procure une irritation qui verse des trésors de mélancolie ; il occasionne des rêves, mais moins puissants que ceux de l'opium, car cette fantasmagorie se passe dans une atmosphère grise et vaporeuse. Les idées sont douces autant que le sont les femmes blondes. Votre état n'est pas le sommeil de plomb qui distingue les belles organisations fatiguées, mais une somnolence indicible qui rappelle les rêvasseries du matin. L'excès du café, comme celui du thé, produit une grande sécheresse dans la peau, qui devient brûlante. Le café met souvent en sueur et donne une violente soif. Chez ceux qui arrivent à l'abus, la salivation est épaisse et presque supprimée.

IV

DU TABAC

Je n'ai pas gardé sans raison le tabac pour le dernier ; d'abord cet excès est le dernier venu, puis il triomphe de tous les autres.

La nature a mis des bornes à nos plaisirs. Dieu me garde de taxer ici les vertus militantes de l'amour, et d'effaroucher d'honorables susceptibilités ; mais il est extrêmement avéré qu'Hercule doit sa célébrité à son douzième travail, généralement regardé comme fabuleux, aujourd'hui que les femmes sont beaucoup plus tourmentées par la fumée des cigares que par le feu de l'amour. Quant au sucre, le dégoût arrive promptement chez tous les êtres, même chez les enfants. Quant aux liqueurs fortes, l'abus donne à peine deux ans d'existence ; celui du café procure des maladies qui ne permettent pas d'en continuer l'usage. Au contraire, l'homme croit pouvoir fumer indéfiniment. Erreur. Broussais, qui fumait beaucoup, était taillé en Hercule ; il devait, sans excès de travail et de cigares, dépasser la centaine ; il est mort dernièrement à la fleur de l'âge, relativement à sa construction cyclopéenne. Enfin un dandy tabacolâtre a eu le gosier gangrené, et, comme l'ablation a paru justement impossible, il est mort.

Il est inouï que Brillat-Savarin, qui en prenant pour titre de son ouvrage *Physiologie du goût*, et après avoir si bien démontré le rôle que jouent dans ses jouissances les fosses nasales et palatiales, ait oublié le chapitre du tabac.

Le tabac se consomme aujourd'hui par la bouche après avoir été longtemps pris par le nez : il affecte les doubles organes merveilleusement constatés chez nous par Brillat-Savarin : le palais, ses adhérences, et les fosses nasales. Au temps où l'illustre professeur composa son livre, le tabac n'avait pas, à la vérité, envahi la société française dans toutes ses parties comme aujourd'hui. Depuis un siècle, il se prenait plus en poudre qu'en fumée, et maintenant le cigare infeste l'état social. On ne s'était jamais douté des jouissances que devait procurer l'état de cheminée.

Le tabac fumé cause en prime abord des vertiges sensibles ; il amène chez la plupart des néophytes une salivation excessive, et souvent des nausées qui produisent des vomissements. Malgré ces avis de la nature irritée, le tabacolâtre persiste, il s'habitue. Ce dur apprentissage dure quelquefois plusieurs mois. Le fumeur finit par vaincre à la façon de Mithridate, et il entre dans un paradis. De quel autre nom appeler les effets du tabac fumé ? Entre le pain et du tabac à fumer, le pauvre n'hésite point ; le jeune homme sans le sou qui use ses bottes sur l'asphalte des boulevards, et dont la maîtresse travaille nuit et jour, imite le pauvre ; le bandit de Corse que vous trouvez dans les rochers inaccessibles ou sur une plage que son œil peut surveiller, vous offre de tuer votre ennemi pour une livre de tabac. Des hommes d'une immense portée avouent que les cigares les consolent des plus grandes adversités. Entre une femme adorée et le cigare, un dandy n'hésiterait pas plus à la quitter que le forçat à rester au bagne s'il devait y avoir du tabac à discrétion ! Quel pouvoir a donc ce plaisir que le roi des rois aurait payé de la moitié de son empire, et qui surtout est le plaisir des malheureux ? Ce plaisir, je le niais, et l'on me devait cet axiome :

V
Fumer un cigare, c'est fumer du feu.

Je dois à George Sand la clef de ce trésor ; mais je n'admets que le houka de l'Inde ou le narguilé de la Perse. En fait de jouissances matérielles, les Orientaux nous sont décidément supérieurs.

Le houka, comme le narguilé, est un appareil très élégant ; il offre aux yeux des formes inquiétantes et bizarres qui donnent une sorte de supériorité aristocratique à celui qui s'en sert aux yeux d'un bourgeois étonné. C'est un réservoir, ventru comme un pot du Japon, lequel supporte une espèce de godet en terre cuite où se brûle le tabac, le patchouli, les substances dont vous aspirez la fumée, car on peut fumer plusieurs produits botaniques, tous plus divertissants les uns que les autres. La fumée passe par de longs tuyaux en cuir de plusieurs aunes, garnis de soie, de fil d'argent, et dont le bec plonge dans le vase au-dessus de l'eau parfumée qu'il contient, et dans laquelle trempe le tuyau qui descend de la cheminée supérieure. Votre aspiration tire la fumée, contrainte à traverser l'eau pour venir à vous par l'horreur que le vide cause à la nature. En passant par cette eau, la fumée s'y dépouille de son empyreume, elle s'y rafraîchit, s'y parfume sans perdre les qualités essentielles que produit la carbonisation de la plante, elle se subtilise dans les spirales du cuir, et vous arrive au palais, pure et parfumée. Elle s'étale sur vos papilles, elle les sature, et monte au cerveau, comme des prières mélodieuses et embaumées vers la Divinité. Vous êtes couché sur un divan, vous êtes occupé sans rien faire, vous pensez sans fatigue, vous vous grisez sans boire, sans dégoût, sans les retours sirupeux du vin de Champagne, sans les fatigues nerveuses du café. Votre cerveau acquiert des facultés nouvelles, vous ne sentez plus la calotte osseuse et pesante de votre crâne, vous volez à pleines ailes dans le monde de la fantaisie, vous attrapez vos papillonnants délires, comme un enfant armé d'une gaze qui courrait dans une prairie divine après des libellules, et vous les voyez sous leur forme idéale, ce qui vous dispose à la réalisation. Les plus belles espérances passent et repassent, non plus en illusions, elles ont pris un corps, et bondissent comme autant de Taglioni, avec quelle grâce ! vous le savez, fumeurs ! Ce spectacle embellit la nature, toutes les difficultés de la vie disparaissent, la vie est légère, l'intelligence est claire, la grise atmosphère de la pensée devient bleue ; mais, effet bizarre, la toile de cet opéra tombe quand s'éteint le houka, le cigare ou la pipe. Cette excessive jouissance, à quel prix l'avez-vous conquise ? Examinons. Cet examen s'applique également aux effets passagers produits par l'eau-de-vie et le café.

Le fumeur a supprimé la salivation. S'il ne l'a pas supprimée, il en a changé les conditions, en la convertissant en une sorte d'excrétion plus épaisse. Enfin, s'il n'opère aucune espèce de sputation, il a engorgé les vaisseaux, il en a bouché ou anéanti les suçoirs, les déversoirs, papilles ingénieuses dont l'admirable mécanisme est dans le domaine du microscope de Raspail, et desquels j'attends la description, qui me semble d'une urgente utilité. Demeurons sur ce terrain.

Le mouvement des différentes mucosités, merveilleuse pulpe placée entre le sang et les nerfs, est l'une des circulations humaines les plus habilement composées par le grand faiseur d'horloges auquel nous devons cette ingénieuse plaisanterie appelée l'Humanité. Intermédiaires entre le sang et son produit quintessenciel, sur lequel repose l'avenir du genre humain, ces mucosités sont si essentielles à l'harmonie intérieure de notre machine, que, dans les violentes émotions, il s'en fait en nous un rappel violent pour soutenir leur choc à quelque centre inconnu. Enfin, la vie en a si soif, que tous ceux qui se sont mis dans de grandes colères peuvent se souvenir du dessèchement soudain de leur gosier, de l'épaississement de leur salive et de la lenteur avec laquelle elle revient à son état normal. Ce fait m'avait si violemment frappé, que j'ai voulu le vérifier dans la sphère des plus horribles émotions. J'ai négocié longtemps à l'avance la faveur de dîner avec des personnes que des raisons publiques éloignent de la société; le chef de la police de sûreté et l'exécuteur des hautes œuvres de la cour royale de Paris, tous deux d'ailleurs citoyens, électeurs, et pouvant jouir des droits civiques comme tous les autres Français. Le célèbre chef de la police de sûreté me donna pour un fait sans exception que tous les criminels qu'il avait arrêtés sont demeurés entre une et quatre semaines avant d'avoir recouvré la faculté de saliver. Les assassins étaient ceux qui la recouvraient le plus tard. L'exécuteur des hautes œuvres n'avait jamais vu d'homme cracher en allant au supplice, ni depuis le moment où il lui faisait la toilette.

Qu'il nous soit permis de rapporter un fait que nous tenons du commandant même sur le vaisseau de qui l'expérience a eu lieu, et qui corrobore notre argumentation.

Sur une frégate du roi, avant la Révolution, en pleine mer, il y eut un vol commis. Le coupable était nécessairement à bord. Malgré les plus sévères perquisitions, malgré l'habitude d'observer les moindres détails de la vie en commun qui se mène sur un vaisseau, ni les officiers ni les matelots ne purent découvrir l'auteur du vol. Ce fait devint l'occupation de tout l'équipage. Quand le capitaine et son état-major eurent désespéré de faire justice, le contremaître dit au commandant :

« Demain matin, je trouverai le voleur. »

Grand étonnement.

Le lendemain, le contremaître fait ranger l'équipage sur le gaillard en annonçant qu'il va rechercher le coupable. Il ordonne à chaque homme de tendre la main, et lui distribue une petite quantité de farine. Il passe la revue en commandant à chaque homme de faire une boulette avec la farine en y mêlant de la salive. Il y eut un homme qui ne put faire sa boulette, faute de salive.

« Voilà le coupable », dit-il au capitaine.

Le contremaître ne s'était pas trompé.

Ces observations et ces faits indiquent le prix qu'attache la nature à la mucosité prise dans son ensemble, qui déverse son trop-plein dans les organes du goût, et qui constitue essentiellement les sucs gastriques, ces habiles chimistes, le désespoir de nos laboratoires. La médecine vous dira que les maladies les plus graves, les plus longues, les plus brutales à leur début, sont celles que produisent les inflammations des membranes muqueuses. Enfin le coryza, vulgairement nommé rhume de cerveau, ôte pendant quelques jours les facultés les plus précieuses, et n'est cependant qu'une légère irritation des muqueuses nasales et cérébrales.

De toute manière, le fumeur gêne cette circulation, en supprimant son déversoir, en éteignant l'action des papilles, ou leur faisant absorber des sucs obturateurs.

Aussi, pendant tout le temps que dure son travail, le fumeur est-il presque hébété. Les peuples fumeurs, comme les Hollandais, qui ont fumé les premiers en Europe, sont essentiellement apathiques et mous ; la Hollande n'a aucun excédent de population. La nourriture ichtyophagique à laquelle elle est vouée, l'usage des salaisons, et un certain vin de Touraine fortement alcoolisé, le vin de Vouvray, combattent un peu les influences du tabac ; mais la Hollande appartiendra toujours à qui voudra la prendre ; elle n'existe que par la jalousie des autres cabinets, qui ne la laisseraient pas devenir française. Enfin le tabac, fumé ou chiqué, a des effets locaux dignes de remarque. L'émail des dents se corrode, les gencives se tuméfient et sécrètent un pus qui se mêle aux aliments et altère la salive.

Les Turcs, qui font un usage immodéré du tabac, tout en l'affaiblissant par des lessivages, sont épuisés de bonne heure. Comme il est peu de Turcs assez riches pour posséder ces fameux sérails où ils pourraient abuser de leur jeunesse, on doit admettre que le tabac, l'opium et le café, trois agents d'excitations semblables, sont les causes capitales de la cessation des facultés génératives chez eux, où un homme de trente ans équivaut à un Européen de cinquante ans. La question du climat est peu de chose : les latitudes comparées donnent une trop faible différence. Or, la faculté de générer est le *criterium* de la vitalité, et cette faculté est intimement liée à l'état de la mucosité.

Sous ce rapport, je sais le secret d'une expérience, que je publie dans l'intérêt de la science et du pays. Une très aimable femme, qui n'aimait son mari que loin d'elle, cas excessivement rare et nécessairement remarqué, ne savait comment l'éloigner sous l'empire du code. Ce mari était un ancien marin qui fumait comme un pyroscaphe. Elle observa les mouvements de l'amour, et acquit la preuve qu'aux jours où, par des circonstances quelconques, son mari consommait moins de cigares, il était, comme disent les prudes, plus empressé. Elle continua ses observations, et trouva une corrélation positive entre les silences de l'amour et la consommation du tabac. Cinquante cigares ou cigarettes (il allait jusque-là) fumés, lui valaient une tranquillité d'autant plus recherchée que le marin appartenait à la race perdue des chevaliers de l'Ancien Régime. Enchantée de sa découverte, elle lui permit de chiquer, habitude dont il lui avait fait le sacrifice. Au bout de trois ans de chique, de pipes, de cigares et de cigarettes combinés, elle devint une des femmes les plus heureuses du royaume. Elle avait le mari sans le mariage. – La chique nous donne raison de nos hommes, me disait un capitaine de vaisseau très remarquable par son génie d'observation.

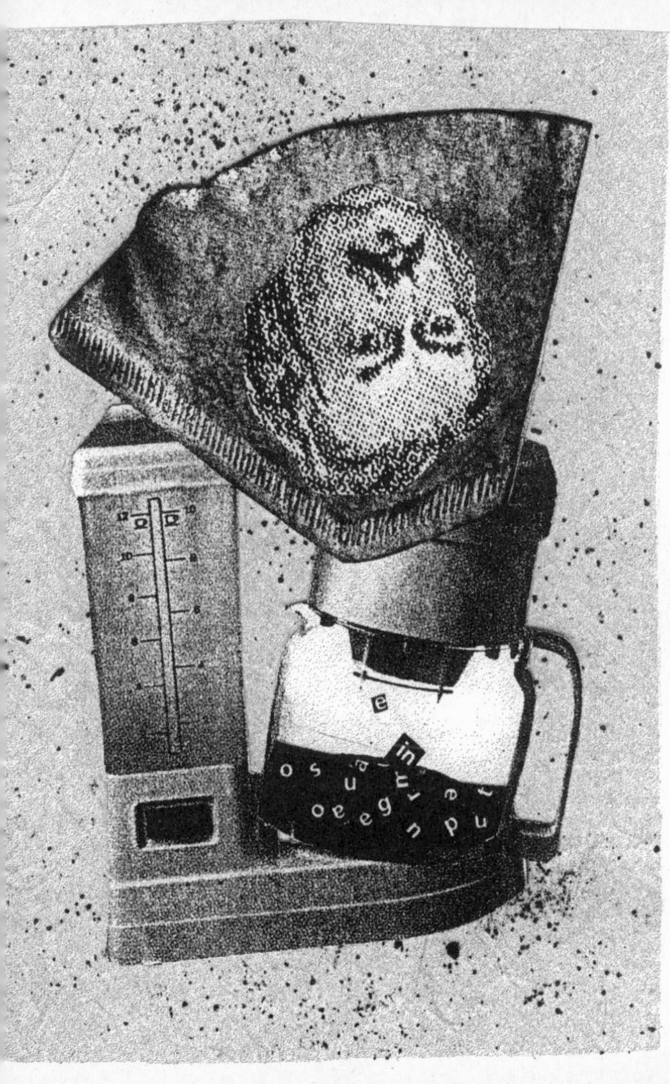

V

CONCLUSIONS

La régie fera sans doute contredire ces observations sur les excitants qu'elle a imposés ; mais elles sont fondées, et j'ose avancer que la pipe entre pour beaucoup dans la tranquillité de l'Allemagne ; elle dépouille l'homme d'une certaine portion de son énergie. Le fisc est de sa nature stupide et anti-social ; il précipiterait une nation dans les abîmes du crétinisme, pour se donner le plaisir de faire passer des écus d'une main dans une autre, comme font les jongleurs indiens.

De nos jours, il y a dans toutes les classes une pente vers l'ivresse, que les moralistes et les hommes d'État doivent combattre ; car l'ivresse, sous quelque forme qu'elle se manifeste, est la négation du mouvement social. L'eau-de-vie et le tabac menacent la société moderne. Quand on a vu à Londres les palais du gin, on conçoit les sociétés de tempérance.

Brillat-Savarin, qui l'un des premiers a remarqué l'influence de ce qui entre dans la bouche sur les destinées humaines, aurait pu insister sur l'utilité d'élever sa statistique au rang qui lui est dû, en en faisant la base sur laquelle opéraient de grands esprits. La statistique doit être le budget des choses, elle éclairerait les graves questions que soulèvent les excès modernes relativement à l'avenir des nations.

Le vin, cet excitant des classes inférieures, a dans son alcool un principe nuisible ; mais au moins veut-il un temps indéfinissable, en rapport avec les constitutions, pour faire arriver l'homme à ces combustions instantanées, phénomènes extrêmement rares.

Quant au sucre, la France en a été longtemps privée ; et je sais que les maladies de poitrine, qui, par leur fréquence dans la partie de la génération née de 1800 à 1815, ont étonné les statisticiens de la médecine, peuvent être attribuées à cette privation ; comme aussi le trop grand usage doit amener des maladies cutanées.

Certes, l'alcool qui entre comme base dans le vin et dans les liqueurs dont l'immense majorité des Français abuse, le café, qui entre pour beaucoup dans les excitations patriciennes, le sucre, qui contient des substances phosphorescentes et phlogistiques, et qui devient d'un usage immodéré, doivent changer les conditions génératives, quand il est maintenant acquis à la science que la diète ichtyophagique influe sur les produits de la génération.

La régie est peut-être plus immorale que ne l'était le jeu, plus dépravante, plus antisociale. L'eau-de-vie est peut-être une fabrication funeste et dont les débits devraient être surveillés. Les peuples sont de grands enfants, et la politique devrait être leur mère. L'alimentation publique, prise dans son ensemble, est une partie immense de la politique et la plus négligée ; j'ose même dire qu'elle est dans l'enfance.

Ces cinq natures d'excès offrent toutes une similitude dans le résultat : la soif, la sueur, la déperdition de la mucosité, la perte des facultés génératives, qui en est la suite. Que cet axiome soit donc acquis à la science de l'homme :

VIII
Tout excès qui atteint les muqueuses abrège la vie.

L'homme n'a qu'une somme de force vitale ; elle est répartie également entre la circulation sanguine, muqueuse et nerveuse; absorber l'une au profit des autres, c'est causer un tiers de mort. Enfin, pour nous résumer par une image axiomatique :

VIII

Quand la France envoie ses cinq cent mille hommes aux Pyrénées, elle ne les a pas sur le Rhin. Ainsi de l'homme.

Monsieur de Balzac, excité moderne

« Parlons de Balzac, cela fait du bien », disait le tendre Nerval. Eh bien, oui, parlons-en, de ce « sanglier joyeux » qui en 1839 publiait son court *Traité des excitants modernes*, qui devait trouver place dans la section des « Études analytiques » de *La Comédie humaine*. Peut-on prendre aujourd'hui encore ce texte au sérieux – du moins du point de vue scientifique ? J'en doute fort. C'est une fantaisie balzacienne de plus, une shadokerie, sur laquelle pourtant il est avantageux de s'attarder. Balzac entend nous parler des « excès » induits par l'alcool, le café, le thé, le tabac et, accessoirement et curieusement, le sucre ; le tout, bien entendu comme toujours chez Balzac « en nous plaçant au point de vue le plus élevé ». L'excès ? C'est de la faute à « l'état de paix », nostalgie napoléonienne oblige, bref, la Restauration et ses séquelles. Les métaphores parlent : « la charte » qui régit l'organisme, les « organes qui sont les ministres du plaisir affectionné ». Déséquilibrez le taux de participation des organes, l'excès se produit, « les organes gourmands » sèvrent les organes frustrés : « De là, les maladies et, en définitif, l'abréviation de la vie. » Et Balzac, qui mourra « brûlé » à 51 ans par le café devient proprement dantesque lorsqu'il martèle : « Cette théorie est effrayante de certitude. » On frémit.

Mais qui est ce Monsieur de Balzac qui rédige ce traité comminatoire ? Un « hypomane chronique », « un volcan », un torrent d'énergie qui écrit sans désemparer seize heures par jour et qui avoue : « Il faut que la pensée ruisselle de ma tête, comme l'eau d'une fontaine. Je n'y conçois rien moi-même. » Ce forçat de la gloire qui travaille sous les étrivières du plus violent café mène une vie réglée parfaitement déréglée : couché à six heures du soir, réveillé à une heure du matin, écrivant jusqu'à huit heures, sieste d'une heure, café et tartines beurrées aux sardines à l'huile, et à nouveau travail jusqu'à dix-sept heures. De la folie ! Il admet lui-même : « Je vis sous le plus dur des despotismes : celui qu'on se fait à soi-même. Je travaille nuit et jour. » Bref, « un constant épanchement de forces élémentaires qui se déchargent en explosions et en éruptions comme un volcan en activité », note Stefan Zweig. Au demeurant, force de la nature, « col d'athlète ou de taureau [...]. Son pur sang tourangeau fouettait ses joues pleines d'une pourpre vivace et coloriait chaudement ses bonnes lèvres épaisses », observe Théophile Gautier. À huit ans, déjà, tout cela est consigné sur le registre des Oratoriens de Vendôme : « Caractère sanguin s'échauffant facilement et sujet à quelques fièvres de chaleur. » Une bête humaine ; une locomotive à vapeur. Mais aussi le meilleur des bons vivants, un Frère Jean des Entommeures à « l'euphorique style vital ». Le rire de Balzac : « Il éclatait comme une bombe si le mot lui plaisait... Alors sa poitrine s'enflait, ses épaules dansaient sous son menton réjoui », signale Léon Gozlan. Delescluze évoque « son air naturellement réjoui ». George Sand insiste : « Jamais je ne l'ai vu maussade. » Cependant cet ogre de vie, cet excité chronique, jure avec élégance. Les magnifiques monstres ne savent se faire dandies : « Gilet débraillé, linge de gros chanvre », remarque Lamartine. Une certaine comtesse de Bassanville se plaint qu'« il avait la singularité de barbouiller de pommade ses cheveux qu'il ne peignait jamais et d'arroser de senteur ses habits qu'il ne brossait pas davantage ». « Portant des gilets ridicules », pontifient les Goncourt. Au total, notre pauvre « Bilboquet » « a l'air d'un riche marchand de bœufs de Poissy » (Werdet). Voilà l'homme. Un excité moderne se battant comme un chiffonnier avec la langue française.

Hélas, il arrive à ce Rabelais réincarné d'essayer de prêcher la continence. Il est vrai que, sur certains points, sa vie demeure rigoureuse. Il ne boit pas. Il déteste le tabac. Quant à la bagatelle, il conseille très sérieusement pour l'écrivain pas plus d'une demi-heure, et par an ! Admettons sans doute qu'avec l'Étrangère, il a plus souvent couru que tenu. Mais revenons au *Traité* traité de bien curieuse manière. Il y fustige encore l'excès où « l'organe, sans cesse irrité, sans cesse nourri, s'hypertrophie ; il prend un volume anormal, souffre, et vicie la machine, qui succombe ». Prémonition très exacte de la fin prématurée de Balzac qui mourra – *grosso modo* – d'une hypertrophie cardiaque due à l'excès de café et, métaphoriquement, à l'excès de paternité littéraire : lui qui enfantera deux mille cinq cent quarante trois personnages mourra, comme Goriot, d'avoir trop été père.

« De l'eau-de-vie » est le premier volet du *Traité* : « On s'est effrayé du choléra. L'eau-de-vie est un bien autre fléau ! » Suit une description terrifiante, une vision « gore » des ivrognes de la halle, en tous points édifiante. Pour nuancer, Balzac ne renâcle pas à tester (pour la seule et unique fois, en 1822) la dive bouteille. Une fois encore, le voici gargantuesque : « dix-sept bouteilles vides » n'en viennent pas à bout, et le voilà parti aux Bouffons. Certes, l'orchestre lui apparaît quelque peu distordu. Et quand une duchesse fait remarquer que « ce monsieur sent le vin », Honoré rétorque, magistral : « Non, madame, je sens la musique. » Une fois dehors, cet éternel assoiffé de luxe voit partout « toujours des plumes et toujours des dentelles ! », phénomène hallucinatoire récurrent qui accompagne snotre gros gourmand « même dans les boutiques de pâtisserie ». Mais le vrai, c'est que tel Obélix – dont Rodin lui a fait le galbe – Balzac n'a pas besoin de boire de vin pour être ivre : il est tombé dans la marmite du génie dionysiaque quand il était petit, et toute *La Comédie humaine* ne cesse de le prouver à nos yeux éblouis.

Il ne sera donc ni « alcoolâtre », encore moins « tabacolâtre » (dans ses romans, un fumeur est invariablement un déchu), mais très certainement « caféïnolâtre » et c'est ici que nous entrons dans le drame de sa vie. « Le café voulait une proie. » Et c'est un fait qu'à ce chapitre du *Traité* l'auteur nous étourdit par ses connaissances pratiques des diverses préparations dudit breuvage, selon une échelle de puissance savamment graduée. Là, il s'adresse à : « Vous tous, illustres chandelles humaines, qui vous consumez par la tête. » Un observateur a remarqué qu'en certaines occasions le crâne de Balzac fumait littéralement. C'est parce que l'auteur a « découvert une horrible et cruelle méthode » de préparer le café, et non point pour la blâmer, mais pour la louanger car elle agit « comme un charretier qui brutalise de jeunes chevaux ». C'est ici qu'on aperçoit le sadisme qu'exerce toujours chaque grand créateur sur lui-même, pour rendre sa substance quitte à rendre l'âme. On a d'ailleurs, depuis, reconstitué la décoction spécifique qu'employait Balzac, mélange de Bourbon (acheté rue du Mont-Blanc), de Martinique (rue des Vieilles-Haudriettes) et de Moka (au faubourg Saint-Germain). Et parfois l'été, au château de Saché, on organise une dégustation du « café Balzac », véritable bombe en caféïne lorsqu'il est « pris à jeun dans les conditions magistrales ». Évidemment, il s'agit là de toxicomanie sévère, presque comparable à une prise d'amphétamines.

Quelle pourrait être la conclusion à cette relecture du *Traité des excitants modernes*, sinon que l'auteur, hormis qu'il introduisit clairement le concept de « modernité » dans l'excitation artificielle, fut la première victime des « excitations patriciennes » de la caféïne, molécule encore parfaitement ignorée en 1839. Buvant du café, Honoré s'imaginait rester hors « la négation du mouvement social », hors-jeu qu'il redoutait plus que tout, lui, l'aristocrate autoproclamé. Il demeura « dans le courant » durant les dix-huit années que s'exprima sa productivité littéraire prodigieuse. Mais la force de sape fut au bout du compte la plus forte, et le « volcan » devait se consumer lui-même. Tel un nouvel Empédocle se jetant dans l'Etna de sa cafetière à la Chaptal armoriée à ses initiales, Balzac est mort brûlé. Dans ses romans, beaucoup d'hommes

« faillis » se brûlent la cervelle d'un coup de pistolet, et tout est dit. N'est-ce pas la même catastrophe que nous pressentons lorsque nous lisons sous la plume de l'auteur : « 1847 : je suis sans âme ni cœur ; tout est mort… Je mourrai épuisé, je mourrai de travail et d'anxiété, je le sens… Écoute : non seulement le cœur et l'âme sont attaqués ; mais je te le dis bien bas, je perds la mémoire des substantifs, et je suis prodigieusement alarmé. […] La tête se brouille. »

Le temps de deux ultimes chefs-d'œuvre, *Le Cousin Pons* et *La Cousine Bette* – son chant du cygne – et, dès 1848, le cheval fourbu se couchera sur le flanc, dans une lente mais sûre entropie, où « l'excité moderne » s'effondrera à petit feu sans rémission. Jusqu'au soir du 18 août 1850 où Victor Hugo, le visitant quelques heures avant sa mort, put noter : « Je le voyais de profil, et il ressemblait ainsi à l'Empereur. » Un Empereur des lettres qui n'aurait malgré tout pas compris son ultime axiome du *Traité* : « Quand la France envoie ses cinq cent mille hommes aux Pyrénées, elle ne les a pas sur le Rhin. Ainsi de l'homme. » Ainsi de M. Honoré de Balzac. Que la Mort attendait sur le Rhin.

BERTRAND DELCOUR

Vie d'Honoré de Balzac

20 mai 1799. Naissance, à Tours, d'Honoré Balzac, fils de Bernard-François Balzac et d'Anne-Charlotte-Laure. Sa mère, qui lui préfère son frère Hervé, le fait élever loin d'elle.

1807. Le jeune Honoré entre au collège des Oratoriens, à Vendôme.

1813. Il quitte Vendôme. Durant ces six années de pensionnat, il ne voit presque jamais ses parents.

1815. Sa famille s'étant installée à Paris, il poursuit ses études dans une pension de la capitale.

1816. Inscrit à la faculté de Droit, Balzac travaille au cabinet de l'avocat Guillon-Merville (modèle de Derville, personnage de *Gobseck* et du *Colonel Chabert*, notamment).

1818. Balzac travaille au cabinet du notaire Passez. Il écrit les *Notes sur l'immortalité de l'âme*.

1819. La famille Balzac s'installe à Villeparisis. Honoré, qui a fini ses études, reste à Paris.

1820. Il commence *Falthurne* et *Sténie*, deux récits philosophiques, et termine *Cromwell*, tragédie en cinq actes.

1821. Début de sa relation avec Laure de Berny. Il publie, en collaboration et sous le pseudonyme de Lord R'Hoone, *L'Héritière de Birague* et *Jean-Louis* ; puis, seul, *Clotilde de Lusignan*, *Le Centenaire*, *Le Vicaire des Ardennes*, ouvrages signés Horace de Saint-Aubin.

1823. Publication de *La Dernière Fée*, toujours sous le pseudonyme d'Horace de Saint-Aubin.

1824. Balzac s'installe rue de Tournon. Paraissent *Argow le Pirate* (Horace de Saint-Aubin), *Du droit d'aînesse* et *Histoire impartiale des jésuites* (anonymes).

1825. S'improvisant éditeur, Balzac réédite, avec Canel, les œuvres de Molière et de La Fontaine. C'est le début de la relation avec la duchesse d'Abrantès. Parution de *Wann-Chlore* (Horace de Saint-Aubin) et du *Code des gens honnêtes* (anonyme).

1826. Obtenant un brevet d'imprimeur en juin, Balzac installe une imprimerie rue des Marais-Saint-Germain (aujourd'hui rue Visconti, Paris VIe).

1827. En juillet, associé à Laurent et Barbier, il reprend la fonderie de caractères d'imprimerie de feu Gillé. Il s'installe rue Cassini.

1828. Parution du *Spécimen des divers caractères et ornemens typographiques de la Fonderie de Laurent et de Berny*, ouvrage imprimé par Balzac. Il est endetté ; Mme de Berny honore une partie de ses dettes. Il fait un séjour chez le général de Pommereul pour préparer un roman sur la chouannerie.

1829. Mort de son père. Période de fréquentation assidue des salons et début de la correspondance avec Zulma Carraud. Publication du *Dernier Chouan ou La Bretagne en 1800* (qui deviendra *Les Chouans*), signé Honoré Balzac, et de *La Physiologie du mariage*.

1830. Balzac collabore à un très grand nombre de revues et de journaux. Il signe désormais Honoré de Balzac. À l'automne, il devient un habitué du salon de Charles Nodier. Publication des premières *Scènes de la vie privée* : *La Vendetta*, *Gobseck*, *Le Bal de Sceaux*, *La Maison du Chat-qui-pelote*, *Une double famille*, *La Paix du ménage*. Ces œuvres formeront la première partie de *La Comédie humaine*.

1831. Devenu célèbre, Balzac travaille assidûment. Il ne se prive toutefois pas d'une intense vie mondaine et dépense sans compter. Grand succès de *La Peau de chagrin*.

1832. Balzac retrouve Mme Hanska, avec laquelle s'établit une correspondance de plus en plus suivie. À la fin de l'été, la marquise de Castries lui ayant causé une grande déception amoureuse, il se réfugie chez Mme de Berny. Balzac publie plusieurs essais politiques mais dans ce domaine ses ambitions restent insatisfaites. Parution du *Colonel Chabert* et, dans les nouvelles *Scènes de la vie privée*, du *Curé de Tours* et de cinq « scènes » qui seront réunies dans *La Femme de trente ans*.

1833. Balzac continue de correspondre avec Mme Hanska, qu'il rencontre à Neuchâtel, puis à Genève. Il entretient une relation clandestine avec Maria du Fresnay. Signature d'un contrat pour la publication des *Études de mœurs au XIX*^e^ *siècle*, préfiguration de *La Comédie humaine*, qui paraîtra en douze volumes de 1833 à 1837. Publication du *Médecin de campagne* et de *La Grenadière*, de *L'Illustre Gaudissart* et d'*Eugénie Grandet*.

1834. Balzac entame une nouvelle relation avec la comtesse Guidoboni-Visconti. Parution de *La Recherche de l'absolu*, ainsi que des premières *Scènes de la vie parisienne* : *La Duchesse de Langeais* et *La Fille aux yeux d'or*.

1835. Werdet publie le recueil des *Études philosophiques*. Balzac rejoint Mme Hanska à Vienne et passe trois semaines avec elle. Il ne la verra plus pendant huit ans. Publication du *Père Goriot* et de *Séraphita*.

1836. Balzac gagne un procès contre la *Revue de Paris* concernant *Le Lys dans la vallée*. Un peu plus tard, *La Chronique de Paris*, qu'il dirigeait depuis le début de l'année, cesse de paraître. Mort de Mme de Berny. Publication du *Lys dans la vallée* et du *Secret des Ruggieri*.

1837. Publication des *Illusions perdues* et de *La Vieille Fille*.

1838. Installation aux « Jardies », villa achetée près de Ville-d'Avray. Publication de *César Birotteau*, de *La Maison Nucingen*.

1839. Balzac est élu président de la Société des gens de lettres. Publication du *Cabinet des antiquités*, de *Béatrix ou Les Amours forcés*.

1840. *Vautrin*, représenté au théâtre de la Porte-Saint-Martin, est interdit. Balzac anime la *Revue parisienne*.

1841. Balzac signe un contrat pour la publication de *La Comédie humaine*, qui paraîtra en dix-sept volumes (1842-1848), plus un volume posthume (1855). Publication du *Curé de village*.

1842. *Les Ressources de Quinola* sont représentées à l'Odéon. Parution d'*Albert Savarus* et d'*Ursule Mirouet, La Rabouilleuse*.

1843. Balzac séjourne à Saint-Pétersbourg chez Mme Hanska. *Pamela Giraud* est représenté, sans succès, à l'Odéon. Publication d'*Une ténébreuse affaire* et d'*Honorine*.

1844. Publication de *Modeste Mignon* et de la seconde partie de *Béatrix*, ainsi que des *Paysans*.

1845. Balzac entreprend un voyage à travers l'Allemagne, la France, la Belgique et la Hollande. Il est en compagnie de Mme Hanska, de sa fille Anne et du comte Mniszech. Au début de l'hiver, il part pour Naples avec Mme Hanska.

1846. Nouveau voyage avec Mme Hanska.

1847. Parution du *Cousin Pons* et de *La Cousine Bette*.

1848. Balzac rentre à Paris et assiste aux premières journées révolutionnaires. En mai, représentations de *La Marâtre*. Fin septembre, il rejoint Mme Hanska en Ukraine.

1849. La santé de Balzac ne cesse de se détériorer et il souffre de troubles cardiaques.

1850. Le 14 mars, Balzac épouse Mme Hanska. Ils reviennent ensemble à Paris.

Le 18 août, mort d'Honoré de Balzac.

Repères bibliographiques

Ouvrages d'Honoré de Balzac

- La production de Balzac a été considérable. Parmi les principaux titres, on peut citer : *Les Chouans, Le Colonel Chabert, La Duchesse de Langeais, La Fille aux yeux d'or, Eugénie Grandet, Les Illusions perdues, Le Lys dans la vallée, La Peau de chagrin, Le Père Goriot, Splendeurs et misères des courtisanes...*
  La plupart de ces titres sont disponibles dans les collections de poche (Garnier-Flammarion, Folio, Le Livre de poche, Presses-Pocket).
- *Sarrasine*, Mille et une nuits, 1996.
- *Une passion dans le désert*, Mille et une nuits, 1994.
- *Le Chef-d'Œuvre inconnu*, Mille et une nuits, 1993.

Études sur Honoré de Balzac

- DÄLLENBACH (Lucien), *La Canne de Balzac*, Corti, 1996.
- MAUROIS (André), *Balzac*, Flammarion, 1985.
- MARCEAU (Félicien), *Balzac et son monde*, Gallimard, 1986.
- MÉNARD (Maurice), *Balzac et le comique dans « La Comédie humaine »*, PUF, 1983.
- MOURIER (Pierre-François), *Balzac, l'injustice de la loi*, Michalon, 1996.
- MOZET (Nicole), *Balzac au pluriel*, PUF, 1990.
- PICON (Gaëtan), *Balzac*, Le Seuil, collection Écrivains de toujours, 1974.
- TROYAT (Henri), *Balzac*, Flammarion, 1995.
- WURMSER (André), *La Comédie inhumaine*, Gallimard, 1970.
- ZWEIG (Stefan), *Balzac : le roman de sa vie*, Albin Michel, 1984.

Mille et une nuits propose des chefs-d'œuvre pour le temps d'une attente, d'un voyage, d'une insomnie…

Derniers titres parus chez le même éditeur

110. Jacques Berque, *Les Arabes, l'islam et nous.*
111. Vincent Ravalec, *PEP, Projet d'éducation prioritaire.*
112. Thomas De Quincey, *Les Derniers Jours d'Emmanuel Kant.*
113. Platon, *Lettre aux amis.*
114. Henry David Thoreau, *La Désobéissance civile.*
115. Marco Ferrari, *En 2 CV vers la révolution.*
116. Friedrich Nietzsche, *Ecce Homo*. 117. Gustave Flaubert, *La Légende de saint Julien l'Hospitalier*. 118. Luigi Pirandello, *Le Viager*. 119. Heinrich Böll, *Lettre à un jeune catholique.*
120. Benjamin Péret, *Le Déshonneur des poètes.*
121. Michel Bakounine, *Dieu et l'État*. 122. Sun Tzu, *L'Art de la guerre*. 123. Paul Verlaine, *Chansons pour Elle.*
124. Paul Bowles, *L'Éducation de Malika.*
125. Lewis Carroll, *La Chasse au Snark.*
126. Khalil Gibran, *Le Fou*. 127. Thomas Mann, *La Loi.*
128. Victor Hugo, *L'Art d'être grand-père.*
129. Pierre Legendre, *La Fabrique de l'homme occidental.*
130. Jean-Jacques Rousseau, *Discours sur l'origine et les fondements de l'inégalité parmi les hommes.* 131. Apocalypse.
132. Julien Offray de La Mettrie, *L'Art de jouir.*
133. Raphaël Confiant, *La Baignoire de Joséphine.*
134. Charles Baudelaire, *Mon cœur mis à nu.*
135. *Bhagavad-Gîtâ.* 136. Érasme, *Éloge de la folie.*
137. Bernard Comment, *L'Ongle noir.* 138. Ambrose Bierce, *Le Club des parenticides.* 139. Lucien de Samosate, *Sectes à vendre.* 140. Edith Wharton, *Les Yeux.*
141. Baltasar Gracián, *L'Homme de cour.*
142. Nicolas de Chamfort, *Maximes et Pensées.*
143. Dominique Méda/Juliet Schor, *Travail, une révolution à venir.* 144. Émile Zola, *Comment on se marie.* 145. Aristote, *Poétique.* 147. Honoré de Balzac, *Traité des excitants modernes.*
148. Herman Melville, *Les Îles enchantées.* 149. Arthur Koestler, *Les Militants.* 151. Jack London, *Construire un feu.*

Pour chaque titre, le texte intégral, une postface, la vie de l'auteur et une bibliographie.

Achevé d'imprimer en février 1997,
sur papier recyclé Ricarta-Pigna par G. Canale & C. SpA (Turin, Italie)